Qu'est-ce que vous apportez?

Daisy Ellsworth
Illustration Nancy W. Stevenson
Traduction Pauline Normand

Avec les personnages de Sesame Street créés par Jim Henson

CLUB DU LIVRE RUE SÉSAME
Publié par Laffont Canada Ltée en collaboration
avec Children's Television Workshop.

Imprimé aux États-Unis. Tous droits réservés.
ISBN 2-89149-284-6

Titre original: What Did You Bring?
Publié par Western Publishing Company Inc. en collaboration
avec C.T.W.
ISBN 0-307-23107-0

Plumeau est assis devant le numéro 123 de la rue Sésame.
Il observe la circulation. Il regarde les voitures et les camions
qui montent et descendent la rue. Il surveille surtout les
voitures et les camions de livraison. Sais-tu pourquoi?

Plumeau attend un colis très spécial. Un cadeau de sa Grand-Mère-Grand. Et il se demande de quelle façon le cadeau va lui parvenir.

Peut-être que le colis est dans cette voiture rouge?
Mais non. Ce sont des sacs de biscuits pour le chien
Poilami.

Peut-être que le colis est dans cette fourgonnette bleue? Mais non. Ce sont six capes vertes toutes propres pour le comte. «1, 2, 3, 4, 5, 6... belles capes vertes toutes propres,» dit le comte. «Merveilleux!»

Peut-être que le colis est dans le camion du boulanger ou dans le camion du laitier?

Le boulanger ouvre la porte arrière de son camion et sort des miches de pain. Ça sent le bon pain dans toute la rue.

Le laitier, à son tour, ouvre la porte arrière de son camion et sort des litres de lait. On sent l'air froid s'échapper du camion. Le pain et le lait sont livrés au magasin de M. Lelion. Rien pour Plumeau. Alors Plumeau continue de surveiller la circulation.

Vers midi, une fillette passe à bicyclette. Elle transporte une grande boîte plate attachée avec une ficelle. «Grand-Mère-Grand m'envoie peut-être un grand disque de chants d'oiseaux,» pense Plumeau.

Ça alors, cette grande boîte n'est pas un disque, mais une pizza aux bananes et aux anchois... pour Gargote.

Un sac de biscuits pour chiens, six capes propres, des miches de pain, des litres de lait, une pizza aux bananes et aux anchois... beaucoup de colis ce matin, mais aucun pour Plumeau.

L'après-midi, encore d'autres camions arrivent rue Sésame.

Un camion rempli de fleurs s'arrête et le livreur descend avec un magnifique bouquet. C'est pour Farfelu qui est malade au lit.

Même la vendeuse de glaces arrête son véhicule.

Puis un étrange colis arrive en camionnette: un colis comme jamais on n'en a vu. C'est un cadeau, mais pour Maigrebleu. Maigrebleu non plus n'a jamais vu un objet semblable.

À: MAIGREBLEU

Des déménageurs apportent des meubles.

Un camion à benne déverse de la terre.

Mais aucune auto, aucun camion ne s'arrête devant le numéro 123 de la rue Sésame.

Une dépanneuse traîne une vieille voiture au garage pour la faire réparer.

Un transporteur d'autos conduit quatre voitures neuves à la salle de montre du vendeur d'autos.

Rosie Rodéo transporte son cheval dans une remorque attachée à sa voiture.

Des fleurs, des glaces, une sculpture, des meubles, de la terre, des voitures, un cheval, tant de choses livrées cet après-midi et toujours pas de cadeau de Grand-Mère-Grand.

Alors arrive le camion postal. Mais la postière ne livre pas le courrier, elle le prend.

Au moment où Plumeau pense que sa Grand-Mère-Grand l'a oublié... mais Grand-Mère-Grand n'oublie jamais les choses importantes comme les cadeaux... arrive un camion de colis postaux.

Voilà enfin le vrai camion qui livre les colis.

Plumeau sait que parmi ces colis, il y a beaucoup de cadeaux.

«Est-ce que ce sera un gros colis? Est-ce que ce sera un petit colis? Est-ce qu'on entendra bouger si on le secoue?» se demande Plumeau.

Plumeau s'approche.

«Est-ce que vous auriez un colis au nom de Plumeau?» demande-t-il.

«Non, je suis désolé,» répond le livreur. «J'ai un colis au nom d'Ernest et un colis au nom de Bébert. Il n'y a pas de colis au nom de Plumeau.»

«Merci quand même,» dit Plumeau. «Mon colis arrivera sans doute dans un autre genre de camion.»

Ernest et Bébert ouvrent leur colis et découvrent les objets qu'ils avaient commandés: un Anneau à Décoder les Secrets et un nouveau maillot avec pigeon.

Finalement, Plumeau se laisse tomber près de la poubelle de Gargote.

Gargote, furieux, sort la tête et crie: «Tu ne sais pas lire? C'est écrit: Va-t'en!»

«Oh! Salut Gargote, j'attends un cadeau de ma Grand-Mère-Grand,» dit Plumeau.

«Peut-être que ton cadeau est dans ce magnifique camion derrière toi,» dit Gargote.

Plumeau se retourne et aperçoit un camion à ordures.

«Penses-tu, Gargote, que Grand-Mère-Grand m'enverrait un cadeau dans un camion à ordures?» demande Plumeau.

«Moi, si j'avais à envoyer un cadeau à quelqu'un, je l'enverrais de cette façon,» dit Gargote. «Mais je n'envoie jamais rien à personne. Hi, hi, hi!»

Plumeau s'approche de l'éboueur.

«S'il vous plaît, monsieur, avez-vous euh... un colis au nom de Plumeau?»

«Nous avons seulement des ordures et nous ne livrons pas les ordures, nous les ramassons,» répond l'éboueur.

Au même moment, un taxi s'arrête derrière le camion.

Et Grand-Mère-Grand descend du taxi.
«Voilà ton cadeau mon cher petit Plumeau,» dit-elle.
«J'ai décidé de te l'apporter moi-même.»

Ce soir-là, quand Grand-Mère-Grand le porte au nid,
Plumeau lui dit: «Ah, chère Grand-Mère-Grand, j'adore mon
Doudou-Plume, tu sais. Mais je suis tellement content que tu sois
venue me voir. C'est ta visite, Grand-Mère-Grand, qui est mon
plus beau cadeau.»

ABCDEFGHIJKL